sopas y cremas

LAROUSSE

sumario

PARA 4 PERSONAS

Preparación: 20 min
Cocción: de 12 a 15 min

1 kg de espárragos trigueros

10 cl de nata líquida
con un 8 % de MG

75 cl de leche desnatada

2 pizcas de cayena

1 pizca de nuez moscada
rallada

1 cc de fécula de maíz

2 cc de aceite de avellana

sal y pimienta recién molida

Crema de espárragos con nata a la pimienta

- Corte la base dura de los espárragos y raspe los tallos con un cuchillo. Corte las puntas en trozos de 3 cm y los tallos en rodajas. Cueza las puntas al vapor durante 4 o 5 minutos y resérvelas. Ponga la nata en una pequeña ensaladera y manténgala 10 minutos en el congelador.

- Hierva la leche en una cacerola con una pizca de sal. Introduzca en ella las rodajas de espárrago y cueza entre 10 y 12 minutos, hasta que queden muy tiernas. Sazone con un poco de pimienta, la cayena y la nuez moscada, y remueva durante 2 o 3 minutos hasta conseguir una mezcla homogénea. Vierta la mezcla en otra cacerola pasándola por un colador fino.

- Diluya la fécula de maíz en una cucharada sopera de agua y viértala en la cacerola. Lleve lentamente a ebullición y deje cocer durante 2 minutos sin dejar de remover hasta obtener una consistencia cremosa.

- Vierta la crema en cuatro boles y coloque una bolita de nata encima de cada una. Decore con las puntas de espárrago y pimienta recién molida.

- A la hora de servir, añada unas gotitas de aceite de avellana sobre la crema.

PARA 6 PERSONAS

Preparación: 30 min
Cocción: unos 40 min

sopa de espárragos

1 kg de espárragos
50 g de mantequilla
50 g de harina
50 cl de leche
2 yemas de huevo
3 c de nata líquida
1 ramita de perifollo
sal y pimienta recién molida

- Pele los espárragos y retire las partes más duras y fibrosas de los tallos. Lávelos y, luego, cuézalos unos 20 minutos en una cacerola con agua hirviendo con sal. Escúrralos y reserve el agua de la cocción.

- Corte las puntas de los espárragos y resérvelas para decorar la sopa.

- Derrita la mantequilla en una cacerola de fondo grueso y añada la harina. Deje que se dore mientras remueve con una cuchara de madera. Agregue 1 litro del agua de la cocción y la leche. Salpimiente. Añada los espárragos, excepto las puntas reservadas, y deje cocer a fuego lento durante 10 minutos.

- Pase la sopa por la batidora. Caliéntela. Mientras tanto, diluya las yemas de huevo en la nata líquida y vierta la mezcla en la sopa. Añada las puntas de los espárragos. Rectifique la sazón y espolvoree el perifollo picado.

- Caliente de nuevo a fuego muy lento sin llevar a ebullición.

- Sirva de inmediato.

Utilice preferentemente espárragos trigueros, ya que le darán un bonito color a la sopa.

PARA 4 PERSONAS

Preparación: 20 min
Sin cocción

4 aguacates muy maduros

el zumo de 1/2 lima

20 cl de nata líquida

30 cl de caldo de ave
(casero o preparado con una
pastilla de caldo concentrado)

1 pizca de cayena en polvo
(o unas gotas de tabasco)

1 o 2 ramitas de estragón

sal y pimienta recién molida

sopa fría de aguacate

- Corte los aguacates en dos hasta llegar al hueso y sujete cada mitad con una mano para tirar en sentido contrario y abrir el fruto. Retire los huesos. Extraiga la pulpa con la ayuda de una cucharita, póngala en la batidora y rocíela de inmediato con el zumo de media lima.

- Añada la nata líquida y el caldo. Bata bien todos los ingredientes hasta obtener una crema con una consistencia homogénea y untuosa.

- Salpimiente, agregue la cayena (o unas gotas de tabasco) y el estragón, y, a continuación, vierta la sopa en una ensaladera o en boles individuales. Conserve en la nevera hasta el momento de servir.

- Sirva fría con unos picatostes.

Puede añadir a esta sopa de aguacate unos dados de tomate y de pepino, o incluso algo de marisco (gambas o cangrejo).

PARA 4 PERSONAS

Preparación: 10 min
Cocción: 30 min

1 cebolla

1 diente de ajo

250 g de brécol

300 g de espinacas frescas

2 patatas

2 c de aceite de oliva

50 g de mantequilla

90 cl de caldo de ave
o de verduras

100 g de gorgonzola

el zumo de 1/2 limón

1 pizca de nuez moscada
rallada

80 g de piñones tostados

sal y pimienta recién molida

sopa de brécol y espinacas

- Pele y pique la cebolla y el ajo. Lave las demás verduras y separe los ramilletes del brécol. Pique las espinacas y pele las patatas.

- Ponga el aceite y la mantequilla a calentar en una cacerola. Agregue la cebolla y el ajo y rehogue durante 3 minutos. A continuación, añada el brécol y las espinacas, rehogue la mezcla y vierta el caldo y las patatas. Lleve a ebullición y, luego, deje cocer a fuego lento durante 25 minutos.

- Corte el gorgonzola en dados pequeños y échelos a la cacerola con el zumo de limón y la nuez moscada. Salpimiente. Decore con los piñones tostados.

- Sirva con unas rebanadas de pan tostado al horno.

PARA 4 O 6 PERSONAS

Preparación: 15 min
Cocción: 40 min
Refrigeración: 2 h

2 puerros

400 g de patatas

40 g de mantequilla

1 manojo de hierbas
aromáticas

20 cl de nata líquida

cebollino

sal y pimienta recién molida

Vichyssoise

- Corte los tallos de los puerros, pele las patatas y córtelas en rodajas. Derrita la mantequilla en una cacerola y añada los puerros. Tape la cacerola y deje cocer 10 minutos sin que se doren. A continuación, agregue las patatas y remueva. Añada 1,5 litros de agua y el manojo de hierbas aromáticas, salpimiente y lleve a ebullición. Cueza entre 30 y 40 minutos.

- Mézclelo todo y ponga a calentar de nuevo.

- Añada la nata líquida y lleve nuevamente a ebullición mientras la bate. Rectifique la sazón si fuera necesario.

- Deje enfriar la sopa y luego consérvela 1 o 2 horas en la nevera (o 15 minutos en el congelador).

- Sirva bien fría con el cebollino picado como adorno.

500 g de zanahorias

500 g de calabaza

1 patata

1 c de aceite de oliva

1 naranja

1 pastilla de caldo de ave

2 cc de comino en polvo

sal y pimienta recién molida

Sopa de zanahoria y calabaza al comino

- Pele las zanahorias, la calabaza y la patata. Lávelas y trocéelas.

- Caliente el aceite en una olla exprés y rehogue las verduras durante 2 minutos removiendo de vez en cuando.

- Exprima la naranja, vierta su zumo en la olla exprés y agregue 1 litro de agua, la pastilla de caldo desmenuzada y el comino. Salpimiente.

- Cierre la olla exprés y deje cocer unos 15 minutos cuando empiece a girar la válvula.

- Mezcle y sirva muy caliente.

Si lo desea, puede sustituir el comino por curry en polvo.

PARA 4 PERSONAS
***

Preparación: 20 min
Cocción: 35 min

60 cl de caldo de ave
(casero o preparado con una
pastilla de caldo concentrado)

25 cl de nata líquida

300 g de castañas peladas
(frescas o congeladas)

30 g de nueces peladas
(opcional)

600 g de ceps frescos

2 chalotas

1 c de aceite de girasol

1 c de perifollo cortado fino

4 cc de aceite de nuez
(opcional)

sal y pimienta recién molida

Crema de ceps y castañas

- Vierta el caldo y la nata líquida en una cacerola, y lleve a ebullición mientras remueve la mezcla. Añada las castañas, salpimiente y cueza a fuego lento durante 25 minutos. Dore ligeramente las nueces peladas en una sartén antiadherente.

- Limpie los ceps y córtelos en láminas. Pele y corte las chalotas en rodajas muy finas. Rehóguelas 5 minutos a fuego lento en una sartén con aceite de girasol. Después, avive el fuego y añada los ceps a la sartén. Rehogue la mezcla 2 o 3 minutos sin dejar de remover, hasta que los ceps queden bien dorados.

- Reserve 2 o 3 castañas cocidas. Trocee el resto y mézclas con el caldo y la mitad de los ceps durante 2 o 3 minutos hasta obtener una crema. Rectifique la sazón.

- Machaque las nueces peladas.

- Vierta la crema en cuatro boles calientes y reparta las láminas de ceps y los trozos de castaña restantes. Espolvoree la nuez y el perifollo, y rocíe con aceite de nuez.

- Sirva de inmediato.

PARA 4 PERSONAS

Preparación: 15 min
Cocción: 25 min

500 g de setas de temporada

1 manojo pequeño de perejil
(20 g)

2 ceps de tamaño mediano

200 g de fideos finos

1 c de parmesano rallado

4 c de aceite de oliva

zumo de limón

sal y pimienta recién molida

sopa de setas del bosque

- Lave las setas de temporada (excepto los 2 ceps) y póngalas en una cacerola con 1,5 litros de agua. Sale y cueza durante unos 20 minutos. Pique el perejil.

- Retire la cacerola del fuego, extraiga las setas con una espumadera y resérvelas. Conserve el agua de la cocción.

- Limpie los ceps y córtelos en láminas. Sumérjalos en el agua de cocción de las setas y ponga la cacerola nuevamente al fuego. Lleve a ebullición, añada los fideos sin dejar de remover y deje que se cuezan.

- Sirva esta sopa muy caliente con el perejil y el parmesano espolvoreados por encima. Rocíe con un chorrito de aceite.

- Sirva aparte las setas que había reservado, aderezadas con aceite de oliva, zumo de limón, sal y pimienta.

PARA 4 PERSONAS

Preparación: 10 min
Cocción: de 10 a 12 min

1 coliflor pequeña

1 l de caldo de ave
(casero o preparado con una
pastilla de caldo concentrado)

4 c de leche desnatada
en polvo

50 g de huevas de salmón
(o de trucha)

unas hojas de perifollo

sal y pimienta blanca recién
molida

Crema de coliflor con huevas de salmón

- Separe la coliflor en pequeños ramilletes, dejando 2 o 3 cm de tallo. Ponga los ramilletes en la parte superior de una olla vaporera y cuézalos entre 3 y 4 minutos. Escúrralos.

- Vierta el caldo de ave en una olla pequeña, lleve a ebullición y añada la coliflor. Lleve de nuevo a ebullición, y luego cueza entre 7 y 8 minutos, hasta que los ramilletes estén bien tiernos (el tallo debe estar blando al pincharlo con un cuchillo).

- Retire del fuego, añada la leche desnatada en polvo y remueva durante 2 o 3 minutos hasta que la mezcla adquiera una consistencia cremosa. Salpimiente.

- Vierta la crema en cuatro boles o en platos hondos y añada una cucharada de huevas de salmón.

- Decore con unas hojas de perifollo y sirva de inmediato.

PARA 4 PERSONAS

Preparación: 15 min
Cocción: 30 min
Refrigeración: 3 h

250 g de coliflor

250 g de brécol

2 manzanas ácidas

2 c de zumo de limón

2 cebollas

30 g de mantequilla

1 c de curry suave

1,2 l de caldo de ave
(casero o preparado con una
pastilla de caldo concentrado)

10 cl de nata líquida

2 c de almendras fileteadas

sal y pimienta recién molida

Crema fría de coles y manzana

- Lave los ramilletes de coliflor y de brécol. Pele y retire el corazón de las manzanas, córtelas en láminas y rocíelas con zumo de limón.

- Pele y pique las cebollas. Derrita la mantequilla en una cacerola. Rehogue las cebollas durante 2 minutos removiendo de vez en cuando. Agregue el curry y remueva durante 2 minutos más.

- Añada los ramilletes de coliflor y de brécol y las láminas de manzana. Vierta el caldo y luego lleve a ebullición. Deje cocer unos 20 minutos a fuego lento sin tapar la cacerola.

- Conserve unos cuantos ramilletes de coliflor enteros para el toque final. Pase la sopa por un pasapurés fino. Deje enfriar, agregue la nata líquida y conserve en el frigorífico junto con la coliflor reservada al menos durante 3 horas.

- Antes de servir, tueste las almendras en una sartén a fuego lento removiendo de vez en cuando. Rectifique la sazón de la crema de coles y repártala en varios vasos o boles. Espolvoree las almendras tostadas por encima y sirva.

Utilice manzanas de la variedad granny smith, ya que son aptas para cocinar platos salados y aportan un agradable sabor ácido.

PARA 4 PERSONAS

Preparación: 10 min
Cocción: unos 8 min
Refrigeración: 1 h

3 pepinos
20 g de mantequilla
1 pizca de cayena en polvo
40 cl de nata líquida
sal y pimienta recién molida

Crema fría de pepino

- Pele los pepinos. Córtelos por la mitad en sentido longitudinal, retire las semillas y luego corte cada mitad en pequeños dados.

- Derrita la mantequilla en una sartén. A continuación, añada los dados de pepino, tape el recipiente y rehogue a fuego lento durante unos 8 minutos.

- Triture el pepino con la batidora hasta obtener un puré muy fino. Salpimiente, añada la pizca de cayena y remueva bien la mezcla.

- Bata ligeramente la nata líquida para airearla y darle consistencia. Mézclela poco a poco con el puré de pepino. Pruebe y rectifique la sazón.

- Vierta en una sopera o en boles individuales y conserve en la nevera al menos durante 1 hora.

- Sirva muy fría como entrante.

3 calabacines

2 patatas

150 g de queso feta

25 hojas de menta

sal y pimienta recién molida

Crema de calabacín con menta y queso feta

- Corte las puntas de los calabacines, lávelos y trocéelos. Pele las patatas, lávelas y córtelas por la mitad.

- Ponga las verduras en una olla exprés. Cubra con agua (alrededor de 1 litro) y añada la mitad de las hojas de menta y del queso feta. Salpimiente. Cierre la olla exprés y deje cocer 10 minutos desde que empiece a girar la válvula.

- Desmenuce el resto del queso feta y pique las hojas de menta restantes. Esparza estos dos ingredientes sobre la crema y mezcle bien.

- Sirva de inmediato.

Puede sustituir el queso feta por queso de cabra y añadir unas aceitunas negras cortadas en dados.

PARA 6 PERSONAS

Preparación: 20 min
Cocción: 25 min

3 cebollas tiernas

15 g de mantequilla

2 calabacines

1 manojo de perifollo

2 manojos de perejil de hoja lisa

1 manojo de albahaca

300 g de espinacas frescas

1/2 lechuga

15 cl de nata líquida

sal y pimienta recién molida

Crema de calabacín a las hierbas

- Pele las cebollas y píquelas. Derrita la mantequilla en una cacerola grande y rehogue la cebolla a fuego muy lento hasta que esté transparente. Mientras tanto, lave los calabacines, todas las hierbas, las espinacas y la media lechuga.

- Corte las puntas a los calabacines, déjeles la piel y trocéelos en pequeños dados. Corte las ramitas de perejil y despunte las hojas de las espinacas. Corte en tiras las hojas de lechuga y de espinaca.

- Agregue el perejil a la cacerola con las cebollas. Remueva bien y luego añada los calabacines, la lechuga y las espinacas, mezclándolo todo bien.

- Cubra con 1,3 litros de agua y añada 1 pizca generosa de sal. Deje cocer a fuego lento durante 20 minutos, sin tapar el recipiente. Deshoje la albahaca y el perifollo.

- Mezcle el perifollo y la albahaca con el contenido de la cacerola hasta que la crema adquiera una consistencia homogénea. Rectifique la sazón si fuera necesario.

- Antes de servir, caliente a fuego lento, añada la nata y una buena pizca de pimienta recién molida.

Pase la sopa por un pasapurés fino y luego bátala a mano para que quede más ligera y espumosa.

Preparación: 10 min
Cocción: unos 25 min

sopa de berros

1 cebolla mediana

1 patata

1 c de aceite de girasol

15 g de mantequilla

180 g de berros

40 cl de caldo de ave
(casero o preparado con una
pastilla de caldo concentrado)

40 cl de leche

el zumo de 1 limón

sal y pimienta recién molida

- Pele las cebollas y córtelas en juliana. Pele la patata y córtela en pequeños dados. Caliente el aceite y la mantequilla en una cacerola grande, agregue la cebolla y rehóguela sin que llegue a dorarse. Añada los dados de patata y cocine durante unos 3 minutos. Tape la cacerola y mantenga las verduras a fuego lento durante 5 minutos.

- Lave los berros. Corte los tallos y píquelos.

- Vierta el caldo y la leche en la cacerola, añada los tallos de berro picados y salpimiente. Lleve a ebullición y, luego, deje cocer a fuego lento entre 10 y 12 minutos. Agregue las hojas de los berros y cueza otros 2 minutos.

- Remueva bien la mezcla, y después vierta la sopa en otra cacerola para calentarla. Añada un chorrito de zumo de limón y rectifique la sazón.

- Sirva con unas rebanadas de pan tostado.

Crema de endibias al anís

4 endibias grandes

2 patatas medianas

4 ramitas de perifollo

10 g de azúcar en polvo

1 l de caldo de ave
(casero o preparado con una
pastilla de caldo concentrado)

1/2 cc de anís verde en grano

10 cl de nata líquida

sal y pimienta blanca recién
molida

- Retire las hojas externas de las endibias y limpie los corazones con cuidado con un trapo húmedo. Corte con un cuchillo el tronco duro de la base, ya que resulta amargo, y luego corte las endibias en aros, dejando 4 hojas enteras para decorar.

- Pele las patatas, lávelas con agua fría y córtelas en dados. Lave el perifollo y conserve unas hojas para decorar el plato.

- Blanquee los aros de endibia durante 3 minutos en una cacerola con agua hirviendo con azúcar, y después escúrralos.

- Vierta el caldo de ave en una olla pequeña y lleve a ebullición. Agregue las endibias, las patatas y el perifollo, y salpimiente. Lleve de nuevo a ebullición y después baje el fuego, tape la olla y deje cocer durante 20 minutos a fuego lento.

- Añada el anís y la nata, y remueva bien la mezcla hasta que obtenga una consistencia cremosa. Vierta en cuatro boles, decore con las hojas de endibia y el perifollo reservados, y sirva de inmediato.

Preparación: 20 min
Cocción: 15 min

300 g de rúcula

400 g de espinacas

1 ramillete pequeño
de cebollino

2 cebollas

2 c de aceite de oliva

75 cl de caldo de verduras
(casero o preparado con una
pastilla de caldo concentrado)

250 g de ñoquis frescos

1 trozo de parmesano

sal y pimienta recién molida

Minestrone de ñoquis frescos

- Despunte las hojas de la rúcula y de las espinacas y trocéelas. Pique el cebollino. Pele las cebollas y córtelas en aros. Caliente 2 cucharadas soperas de aceite en una cacerola, añada las cebollas y rehóguelas durante 5 minutos; vaya removiendo de vez en cuando.

- Agregue las hojas de las verduras. Cueza a fuego medio durante 5 minutos y remueva con frecuencia. Caliente el caldo. Vierta la mitad del caldo en la cacerola y mezcle bien. Después, añada el resto del caldo y caliente. Salpimiente.

- Ponga a calentar agua con sal en una cacerola grande y cuando hierva sumerja los ñoquis. Cuando suban a la superficie escúrralos. Reparta la sopa en cuatro platos hondos. Agregue los ñoquis, y espolvoree por encima el cebollino y unas virutas de parmesano.

Para preparar las virutas de parmesano, ralle un trozo de queso con un pelador de verduras.

800 g de espinacas frescas

1 chalota

20 g de mantequilla

2 patatas

100 g de queso de cabra

sal y pimienta recién molida

Crema de espinacas con queso de cabra

- Seleccione las espinacas, límpielas, lávelas cuidadosamente con agua fría y escúrralas. Pele la chalota y píquela muy fina. Derrita la mantequilla en una olla grande y rehogue la chalota picada. Añada las espinacas, y cocine entre 3 y 5 minutos a fuego medio. Remueva la mezcla con frecuencia.

- Pele las patatas, lávelas y trocéelas. Agréguelas a la olla, salpimiente y cubra con agua (alrededor de 1 litro). Lleve a ebullición y luego deje cocer a fuego lento unos 30 minutos.

- Vierta todo en el recipiente de la batidora y bátalo mientras va añadiendo poco a poco el queso de cabra troceado (conserve algunos trozos para la decoración).

- Vierta la crema en cuatro boles y decore con el resto del queso.

Puede añadir unas hojas de acedera para dar un sabor más ácido a este plato. También puede sustituir el queso de cabra por queso feta.

PARA 4 PERSONAS

**Preparación: 30 min
Cocción: 25 min**

1,5 o 2 kg de habas con vaina
1 ramillete de acedera
1 manojo de perejil
1 manojo de perifollo
50 g de mantequilla
sal y pimienta recién molida

sopa de habas frescas

- Desgrane las habas y retire la membrana que las recubre. Limpie la acedera quitándole los tallos, lávela y píquela. Lave y pique el perejil y el perifollo.

- Ponga 1,5 litros de agua con sal en una cacerola grande y lleve a ebullición. Luego, vierta en ella las habas, la acedera, el perejil y el perifollo, tape el recipiente y deje cocer a fuego medio durante 20 minutos.

- Pase la sopa por un pasapurés.

- Vierta la sopa nuevamente en la cacerola. Añada la mantequilla, remueva bien la mezcla y deje hervir a fuego lento unos minutos. Rectifique la sazón y sirva muy caliente.

se puede servir con unos picatostes fritos en mantequilla con sal.

sopa fría de habas a la menta

600 g de habas desgranadas
(frescas o congeladas)

2 cebollas

20 g de mantequilla

unas hojas de lechuga

10 cl de nata líquida

20 hojas de menta fresca

sal y pimienta recién molida

- Escalde las habas 2 minutos en agua hirviendo, escúrralas y déjelas enfriar antes de retirarles la segunda piel.

- Pele las cebollas y píquelas. Derrita la mantequilla en una cacerola grande. Cuando esté caliente, rehogue las cebollas picadas, y después añada las hojas de lechuga lavadas y escurridas. Rehogue unos instantes sin dejar de remover y luego añada las habas. Cubra con agua, salpimiente y lleve a ebullición.

- Baje el fuego y deje cocer a fuego lento entre 25 y 30 minutos. Vierta las habas y su caldo en una batidora. A continuación, agregue la nata y la mitad de las hojas de menta. Bata hasta que la mezcla obtenga una consistencia cremosa. Rectifique la sazón y mezcle. Deje enfriar, y luego conserve en la nevera al menos 3 horas.

- Antes de servir, decore con el resto de la menta fresca.

Para ganar tiempo, utilice habas congeladas ya peladas y prepare la sopa la víspera.

PARA 4 PERSONAS

Preparación: 45 min
Cocción: de 13 a 18 min

1,2 kg de habas con vaina

2 cebollas medianas

2 lechugas pequeñas

2 tomates medianos bien maduros

1 c de aceite de oliva

2 c de albahaca cortada fina

sal y pimienta recién molida

Minestrone de habas con lechuga y albahaca

- Desgrane las habas. Escáldelas 1 o 2 minutos en una cacerola con agua hirviendo y un poco de sal, escúrralas y retire la fina piel que las recubre. Pele las cebollas y córtelas en aros. Lave bien las lechugas, escúrralas sin secarlas y corte las hojas en trozos grandes. Pele los tomates tras haberlos escaldado durante 15 segundos, despepítelos y córtelos en dados pequeños.

- Caliente el aceite de oliva en una olla, añada las cebollas y rehóguelas a fuego lento durante 5 minutos, removiendo con frecuencia. Cuando estén transparentes, agregue las habas y la lechuga, cubra con 1 litro de agua, salpimiente y lleve a ebullición. Baje el fuego y cueza a fuego lento entre 5 y 10 minutos, según el tamaño de las habas, hasta que queden muy tiernas.

- Añada los dados de tomate a la sopa y mantenga a fuego lento 1 o 2 minutos más. Agregue la albahaca, mezcle bien todo y retire del fuego. Tape la olla y deje reposar la sopa unos 2 o 3 minutos.

- Sirva muy caliente como primer plato.

PARA 4 PERSONAS

Preparación: 20 min
Cocción: 15 min

200 g de patatas

1 puerro

1 diente de ajo

3 ramitas de tomillo

250 g de judías verdes
congeladas

1 loncha pequeña de beicon

3 c de nata líquida

perejil de hoja lisa

sal y pimienta recién molida

Crema de judías verdes

- Pele las patatas y el puerro, lávelos y trocéelos. Póngalos en la olla exprés, añada el diente de ajo pelado y luego cubra con agua.
- Salpimiente. Agregue el tomillo y lleve a ebullición. Cuando empiece a hervir, añada las judías verdes y el beicon. Cierre la olla exprés y deje cocer 10 minutos desde que empiece a girar la válvula.
- Retire el tomillo y el beicon, y luego remueva bien la sopa. Bátala con la nata líquida, espolvoree el perejil cortado fino y sirva.

Acompañe esta crema con una quiche y una ensalada de endibias.

PARA 6 PERSONAS

Remojo: 12 h
Preparación: 30 min
Cocción: 1 h 30

150 g de judías blancas secas

2 zanahorias

3 patatas

1/4 de apio-nabo

2 puerros

2 calabacines

3 tomates

4 c de aceite de oliva

2 dientes de ajo

2 l de caldo de ternera
(casero o preparado con una
pastilla de caldo concentrado)

4 ramitas de albahaca

3 ramitas de perejil

1 ramita de tomillo

1 c de pasta para sopa

queso parmesano (opcional)

sal y pimienta recién molida

Minestrone

- La víspera, ponga las judías en remojo en agua fría.

- Al día siguiente, escurra las judías y póngalas en una cacerola grande con 50 cl de agua. Tape el recipiente, lleve a ebullición, baje el fuego y deje cocer a fuego lento unos 30 minutos.

- Mientras tanto, pele las zanahorias, las patatas y el apio-nabo. Corte la base y las hojas verdes de los puerros, límpielos y lave cuidadosamente la parte blanca. Lave los calabacines. Escalde los tomates y luego pélelos. Corte los tomates en cuatro (o en ocho, según su tamaño) y las demás verduras en pequeños dados.

- Ponga el aceite de oliva en una olla grande, rehogue todas las verduras a fuego lento y remueva de vez en cuando.

- Pele el ajo, májelo y póngalo en la olla. Caliente el caldo en una cacerola y luego viértalo en la olla. Agregue las judías con su agua de cocción. Deshoje 2 ramitas de albahaca y lave el perejil. Añada estas hierbas y el tomillo a la olla. Tape el recipiente y deje cocer a fuego lento durante 45 minutos. Salpimiente.

- Añada la pasta en forma de lluvia a la olla y cueza 2 o 3 minutos más. Retire el tomillo y el perejil de la olla. Vierta en una sopera. Deshoje las ramitas de albahaca restantes y espolvoree las hojas sobre la minestrone.

- Sirva de inmediato.

Acompañe con queso parmesano rallado.

PARA 4 PERSONAS

Preparación: 15 min
Cocción: de 30 a 35 min

1 col

5 o 6 puerros

4 patatas medianas

1 lechuga pequeña

1 puñado de acedera

unas ramitas de perifollo

250 g de guisantes frescos
desgranados
(es decir, unos 500 g
con vaina)

120 g de mantequilla

2 l de agua o de consomé suave

sal y pimienta recién molida

sopa de la huerta

- Pele todas las verduras. Corte la col en ocho trozos, corte los puerros muy menudos y las patatas en dados. Corte bien finos la lechuga, la acedera y el perifollo. Desgrane los guisantes.

- Derrita 100 g de mantequilla a fuego lento en una olla. Añada la col y los puerros, tape el recipiente y rehogue entre 10 y 15 minutos.

- Agregue el agua (o el consomé) y las patatas. Salpimiente y deje cocer otros 10 minutos.

- Mientras tanto, rehogue la acedera y la lechuga a fuego lento con el resto de la mantequilla.

- Añada los guisantes, la lechuga y la acedera a la olla. Deje cocer otros 10 minutos más.

- Vierta el contenido de la olla en una sopera y espolvoree el perifollo en el último momento.

- Sirva muy caliente con unas rebanadas de pan tostado.

2 ramas de apio

2 zanahorias

1 pimiento verde

1 cebolla

150 g de mantequilla

30 g de harina

1 l de caldo de ave
(casero o preparado con una
pastilla de caldo concentrado)

30 cl de cerveza

250 g de queso gouda

1 pizca de guindilla

sal y pimienta recién molida

sopa de verduras con queso gouda

- Lave las verduras. Retire las hebras del apio, córtelo en láminas muy finas y pele las zanahorias. Corte el pimiento en cuatro trozos y retire las semillas y los hilos blancos. Trocee todas las verduras muy menudas. Pele la cebolla y píquela.

- Derrita la mantequilla en una olla, agregue las verduras cortadas en juliana y deje que se doren ligeramente.

- Espolvoree la harina. Añada poco a poco el caldo de ave y la cerveza. Salpimiente y mézclelo todo bien.

- Cueza a fuego lento hasta que la sopa espese.

- Mientras tanto, corte el queso en pequeños dados. Agréguelo a la olla y remueva hasta que se funda. Retire del fuego y añada la guindilla.

- Pruebe la sopa y rectifique la sazón si es necesario.

- Vierta la sopa en una sopera y sirva de inmediato.

500 g de judías secas

1 manojo de hierbas aromáticas

250 g de judías verdes

2 calabacines

2 zanahorias

2 nabos

2 tomates

200 g de fideos

4 c de albahaca cortada fina

5 dientes de ajo

aceite de oliva

50 g de parmesano

sal y pimienta recién molida

Sopa de verduras con albahaca y ajo picado

- Mantenga las judías secas en remojo durante 12 horas.

- Escúrralas y póngalas en una olla con 2,5 litros de agua fría. Sale. Añada el manojo de hierbas aromáticas y lleve a ebullición. Cueza durante 1 h 30.

- Retire los hilos de las judías verdes. Corte los calabacines en rodajas finas. Pele las zanahorias y los nabos, y córtelos en pequeños dados.

- Añada las zanahorias y los nabos a la olla. Cueza durante 20 minutos. Agregue las judías verdes y los calabacines. Cueza otros 10 minutos más.

- Pele los tomates. Incorpórelos a la olla junto con los fideos y deje cocer otros 10 minutos.

- Maje en un mortero la albahaca y los dientes de ajo pelados. Añada 4 cucharadas soperas de aceite de oliva para diluir la mezcla.

- Vierta este condimento en la sopa, sazone con pimienta y remueva.

- Añada el parmesano y sirva.

PARA EL PESTO

3 dientes de ajo pelados

1 puñado de hojas de albahaca

2 c de piñones

50 g de parmesano recién rallado

3 c de aceite de oliva

PARA LA SOPA

1 cebolla

2 puerros

3 c de aceite de oliva

1 patata

400 g de judías blancas en conserva, escurridas y lavadas

1,5 l de caldo de verduras (casero o preparado con una pastilla de caldo concentrado)

2 calabacines

150 g de judías verdes

150 g de brécol

250 g de corazones de alcachofa cocidos

1 c de perejil de hoja lisa

sal y pimienta recién molida

sopa de verduras al pesto

- Prepare el pesto. Bata en la batidora el ajo, la albahaca, los piñones y el parmesano hasta obtener una pasta homogénea. Añada el aceite y bata de nuevo. Reserve.

- Prepare la sopa. Corte la cebolla y los puerros en aros finos. Caliente el aceite en una cacerola grande, incorpórelos y rehogue a fuego medio durante unos 3 minutos.

- Pele y corte la patata en dados, y agréguelos a la cacerola con las judías blancas y el caldo. Salpimiente. Lleve a ebullición y deje cocer a fuego lento unos 15 minutos.

- Corte los calabacines en dados, trocee las judías verdes y el brécol y añádalo todo a la cacerola con las alcachofas. Deje cocer otros 10 minutos.

- Por último, añada el perejil picado y el pesto, y mezcle todo bien.

- Sirva acompañada de pan de hogaza.

Si lo desea, también puede utilizar salsa de pesto envasada (unas 5 o 6 cucharadas soperas).

PARA 4 O 6 PERSONAS

Preparación: 20 min
Cocción: 1 h 40

2 zanahorias

1 nabo pequeño

1 puerro

1 cebolla

2 ramas de apio

60 g de mantequilla

1/8 de col

1 patata

1 taza de guisantes congelados

perifollo

sopa de verduras

- Pele y corte en dados grandes las zanahorias, el nabo, el puerro, la cebolla y el apio.

- Derrita 30 g de mantequilla en una cacerola y añada estas verduras. Deje cocer 10 minutos a fuego lento con el recipiente tapado. Añada 1,5 litros de agua y lleve a ebullición.

- Mientras tanto, ponga agua a hervir en otra cacerola. Trocee la col muy menuda, hiérvala durante 3 o 4 minutos, escúrrala con un escurridor y luego lávela bien debajo del grifo. Agregue la col a la cacerola y deje cocer a fuego lento durante 1 hora.

- Pele la patata, córtela en dados, añádala a la sopa y deje cocer otros 25 minutos.

- Añada los guisantes entre 12 y 15 minutos antes de finalizar la cocción.

- A la hora de servir, agregue los 30 g de mantequilla restantes, remueva bien la sopa y luego espolvoree un poco de perifollo por encima.

Esta sopa también se puede servir acompañada de unos picatostes.

PARA 6 PERSONAS

Preparación: 20 min
Cocción: 45 min

300 g de cebollas

60 g de mantequilla

1 c de harina

1,5 l de caldo de ave
(casero o preparado con una
pastilla de caldo concentrado)

1 baguette

150 g de queso emmental
rallado

sal y pimienta recién molida

sopa de cebolla gratinada

- Pele las cebollas y córtelas en aros muy finos. Rehóguelas con la mantequilla a fuego muy lento. Espolvoréelas con harina y rehogue 3 minutos más sin dejar de remover.

- Precaliente el horno a 160 °C (termostato 5-6).

- Vierta el caldo poco a poco en la cacerola, sin dejar de remover con una cuchara de madera. Salpimiente. Cueza durante 30 minutos a fuego lento. Deje reducir para que la sopa no quede demasiado líquida.

- Mientras tanto, corte la baguette en rebanadas y dórelas al horno.

- Suba la temperatura del horno a 260 °C (termostato 9).

- Vierta la sopa en una sopera refractaria o en varias cazuelitas individuales. Coloque las rebanadas de pan sobre la sopa, espolvoree el queso emmental, introduzca en el horno y gratine.

- Sirva de inmediato.

Esta sopa se servía de madrugada en los bares del centro de París. Para los noctámbulos era todo un placer saborearla después de asistir a un buen espectáculo.

PARA 4 O 6 PERSONAS

Preparación: 25 min
Cocción: 45 min

1 kg de cebollas

800 g de tomates

2 c de aceite de oliva

1 cc de ras el-hanout
(mezcla de especias marroquí
que puede contener hasta más
de 20 especias distintas)

1 cc de comino

1 pastilla de caldo de ave

1 bote pequeño de garbanzos

200 g de guisantes
desgranados
(frescos o congelados)

sal y pimienta recién molida

sopa de cebolla al estilo marroquí

- Pele las cebollas y luego córtelas en aros finos.

- Ponga una gran cantidad de agua en una cacerola y lleve a ebullición. Escalde los tomates y luego lávelos con agua fría, pélelos y trocéelos.

- Caliente el aceite de oliva en una cacerola grande y haga sudar los aros de cebolla durante 2 o 3 minutos sin dejar de remover. Añada el ras el-hanout y el comino, y luego agregue los tomates. Desmenuce la pastilla de caldo por encima, salpimiente y añada 1,2 litros de agua. Lleve a ebullición; después baje el fuego y cueza a fuego lento durante 30 minutos.

- Escurra los garbanzos e introdúzcalos en la cacerola junto con los guisantes. Remueva bien la sopa y deje cocer a fuego lento otros 15 minutos más.

si le gusta la mezcla del sabor dulce con el salado, añada unas cuantas pasas a la sopa.

PARA 4 PERSONAS

Preparación: 15 min
Cocción: 35 min

300 g de brotes de ortiga

150 g de patatas

1 cebolla pequeña

1 c de aceite de maíz

2 c de leche desnatada
en polvo

sal y pimienta recién molida

Crema de ortigas

- Lave las hojas de ortiga y píquelas con un cuchillo. Pele las patatas, lávelas y córtelas en dados. Pele la cebolla y píquela muy fina.

- Ponga el aceite a calentar a fuego lento en una cacerola. Añada las hojas de ortiga, los dados de patata y la cebolla picada. Tape el recipiente y estofe a fuego lento durante unos 10 minutos. Remueva de vez en cuando con una cuchara de madera.

- Vierta 1 litro de agua, salpimiente, lleve a ebullición y cueza a fuego lento durante 25 minutos. Bata con la batidora hasta obtener un puré de una consistencia lisa y homogénea. Si queda muy espeso, puede añadir un poco de agua hirviendo y luego pasar el puré por el colador chino.

- Añada la leche desnatada y bata de nuevo otros 20 segundos. Pruebe, rectifique la sazón y vierta en una sopera o en cuatro boles.

- Sirva de inmediato con unos picatostes.

250 g de chirivías

250 g de boniatos

1 patata harinosa

20 g de mantequilla

1 cebolla

1 l de caldo de ave
(casero o preparado con una
pastilla de caldo concentrado)

2 yemas de huevo

20 cl de nata líquida espesa

nuez moscada rallada

una pizca de cebollino

sal y pimienta recién molida

Crema de chirivía y boniato

- Pele las chirivías, los boniatos y la patata. Lávelos y córtelos en dados.

- Derrita la mantequilla en una cacerola grande. Añada la cebolla picada y rehóguela, sin que llegue a dorarse, durante 5 minutos. Agregue los dados de verduras y cueza a fuego medio durante 5 minutos, removiendo con frecuencia.

- Caliente el caldo y viértalo en la cacerola. Salpimiente. Lleve a ebullición y luego deje cocer a fuego lento durante unos 30 minutos.

- Pase la sopa por un pasapurés fino y llévela de nuevo a ebullición.

- Baje el fuego. Agregue a la cacerola las yemas de huevo mezcladas con la nata líquida y una pizca de nuez moscada. Deje cocer a fuego lento durante 3 minutos sin que llegue a hervir y sin dejar de remover. Rectifique la sazón si es necesario, y sirva la crema muy caliente. En el último momento, espolvoree por encima una pizca de cebollino troceado.

Si lo desea, puede sustituir el boniato por dos peras conference peladas y sin pepitas.

PARA 4 PERSONAS

Preparación: 15 min
Cocción: 30 min

500 g de chirivías

4 zanahorias

1 puerro

10 g de mantequilla

1 c de aceite

1 cc de semillas de cilantro

2 c de nata líquida

sal y pimienta recién molida

sopa de chirivía y zanahoria con cilantro

- Pele las chirivías y las zanahorias, lávelas con agua fría y luego córtelas en dados.

- Pele el puerro, límpielo bien y córtelo en rodajas finas.

- Caliente la mantequilla y el aceite en una cacerola grande. Haga sudar las rodajas de puerro. Añada a la cacerola los dados de zanahoria y de chirivía junto con las semillas de cilantro machacadas. Mézclelo todo bien. Cubra con agua, salpimiente y lleve a ebullición. Baje el fuego y deje cocer a fuego lento unos 30 minutos.

- Bata un poco la mezcla (deben quedar trozos de verduras) mientras va incorporando la nata líquida. Sirva muy caliente.

No es imprescindible pelar la chirivía. Si lo desea, puede lavarla con agua fría y rallarla.

Crema de guisantes

1 patata

1 manojo de rábanos

1 puerro

25 g de mantequilla

1 c de aceite

300 g de guisantes
desgranados
(frescos o congelados)

1 pastilla de caldo de ave

1 manojo de perifollo

10 cl de nata líquida

sal y pimienta recién molida

- Pele la patata, lávela y trocéela. Lave y escurra las hojas de los rábanos (conserve las raíces para otra ocasión). Pele el puerro, lávelo y córtelo en rodajas finas.

- Caliente la mantequilla y el aceite en una cazuela y haga sudar las rodajas de puerro. Remueva de vez en cuando. Añada las hojas de rábano y deje cocer 1 minuto más. Por último, agregue los trozos de patata y los guisantes junto con la pastilla de caldo de ave desmenuzada.

- Cubra con agua y lleve a ebullición. Salpimiente, añada una pizca de perifollo, baje el fuego y deje cocer a fuego lento entre 20 y 25 minutos, hasta que las verduras estén tiernas. Retire unos cuantos guisantes con la ayuda de una espumadera y resérvelos para la decoración.

- Bata mientras va añadiendo poco a poco otra pizca de perifollo (conserve un poco para la decoración) y la nata líquida. Luego, bátalo todo para retirar las pieles. Reparta la crema de guisantes en varios platos y, a continuación, decore con los guisantes y el perifollo reservado.

Para dar más sabor a esta crema, puede añadir a cada plato un huevo escalfado o unos trocitos de lonchas de beicon ligeramente tostadas.

PARA 4 PERSONAS

Preparación: 15 min
Cocción: 40 min

2 cebollinos con sus hojas

1 cogollo de lechuga

30 g de mantequilla

450 g de guisantes frescos
o descongelados

1,2 l de caldo de ave
(casero o preparado con una
pastilla de caldo concentrado)

20 cl de nata líquida

120 g de queso feta

10 hojas de menta fresca

sal y pimienta recién molida

Crema de guisantes con queso feta

- Pele y pique los cebollinos. Lave las hojas del cogollo de lechuga y córtelas en tiras. Derrita la mantequilla en una cazuela. Introduzca los cebollinos y rehóguelos durante 5 minutos. Luego agregue la lechuga. Tape el recipiente y estofe 10 minutos a fuego medio.

- Añada los guisantes y el caldo. Tape de nuevo el recipiente dejando que entre un poquito de aire. Hierva a fuego lento durante 25 minutos. Pase el contenido de la cazuela por un pasapurés fino.

- Vierta la sopa en una cacerola. Añada 10 cl de nata líquida y la menta cortada fina. Bata la sopa a mano.

- Reparta la crema en cuatro boles. Mezcle el queso feta con el resto de la nata líquida. Vierta esta mezcla en la sopa y extiéndala formando pequeños círculos con la punta de una cuchara.

Conserve unos cuantos guisantes cocidos enteros y añádalos a la sopa justo antes de servir o bien acompañe con unos dados de pan frito.

PARA 4 PERSONAS

Preparación: 10 min
Cocción: 15 min

1 pastilla de caldo de ave

1 cc de curry en polvo

40 cl de leche de coco

200 g de guisantes congelados

50 g de fideos de arroz
o de soja

1 bote pequeño de brotes
de soja (peso neto: 90 g)

unas hojas de cilantro fresco

sal y pimienta recién molida

sopa de guisantes al estilo asiático

- Desmenuce la pastilla de caldo de ave en una cacerola. Añada el curry, la leche de coco y 70 cl de agua. Salpimiente y ponga a calentar.

- Cuando hierva la mezcla, agregue los guisantes, baje el fuego y luego cocine a fuego lento durante 5 minutos. Mientras tanto, coloque los fideos de arroz en una ensaladera y cúbralos con agua hirviendo. Deje reposar 5 minutos. A continuación, escúrralos, trocéelos e incorpórelos al caldo.

- Lave los brotes de soja, escúrralos, introdúzcalos en la cacerola y deje cocer a fuego lento 5 minutos. Vierta la sopa en cuatro boles y espolvoree el cilantro fresco cortado fino por encima.

Convierta esta sopa en un plato único añadiendo unos dados de tofu, unas mazorcas de maíz o unas gambas.

Preparación: 15 min
Cocción: 30 min

4 o 5 puerros

2 patatas

2 manzanas

1 limón

1 pastilla de caldo de ave

sal y pimienta recién molida

Crema ácida de puerros

- Pele los puerros, lávelos bien y trocéelos. Pele las patatas, lávelas y trocéelas. Pele las manzanas y córtelas en cuatro trozos.

- Corte un cuarto de una manzana en daditos y resérvelos para la decoración. Rocíelos con zumo de limón para que no se oxiden.

- Coloque los puerros, las patatas troceadas y los cuartos de manzana en una cacerola grande.

- Desmenuce la pastilla de caldo sobre las verduras, salpimiente y cubra con agua (como mínimo 1 litro). Lleve a ebullición y luego deje cocer a fuego lento unos 30 minutos antes de pasar todo por la batidora.

- Reparta la sopa en cuatro platos y decore con los dados de manzana reservados.

Esta receta también puede prepararse con peras.

PARA 6 PERSONAS

Preparación: 20 min
Cocción: unos 30 min

2 manojos de perifollo

3 puerros

40 g de mantequilla

2 cebollas tiernas

1 diente de ajo

3 patatas harinosas

1,5 l de caldo de ave
(casero o preparado con una
pastilla de caldo concentrado)

2 yemas de huevo

15 cl de nata líquida

1 pizca de azafrán en polvo

sal y pimienta recién molida

Crema de puerros con perifollo y azafrán

- Lave el perifollo y séquelo. Separe las hojas y pique los tallos. Corte la base de los puerros y retire las hojas más duras. Lave los puerros y córtelos en rodajas finas.

- Derrita la mantequilla en una cacerola. Añada las cebollas picadas, el diente de ajo majado y los puerros. Rehogue durante unos 5 minutos sin dejar de remover y sin que llegue a dorarse. Pele las patatas, lávelas y córtelas en dados.

- Agregue los dados de patata, los tallos de perifollo y un tercio de las hojas de perifollo a la cacerola. Remueva durante unos 2 o 3 minutos a fuego lento y luego vierta el caldo. Salpimiente y deje cocer a fuego medio.

- Al cabo de unos 30 minutos, pase el contenido de la cacerola por el pasapurés. A continuación, vierta la sopa de nuevo en la cacerola y deje cocer a fuego lento.

- En un bol, diluya las yemas de huevo en 10 cl de nata líquida y añada el azafrán. Añada 3 cucharadas soperas de sopa caliente al recipiente sin dejar de remover. Vierta esta mezcla en la cacerola, cueza a fuego lento sin que llegue a hervir y remueva de vez en cuando.

- Vierta la sopa en una sopera. Añada el resto de la nata y las hojas de perifollo fresco. Sirva de inmediato.

Agregue a la sopa una cucharada de nata líquida batida y unas huevas de salmón o unos mejillones.

600 g de calabaza

2 zanahorias

1 puerro

1 c de aceite

150 g de castañas cocidas
(en conserva o al vacío)

sal y pimienta recién molida

Crema de calabaza con castañas

- Pele la calabaza y luego córtela en dados. Pele las zanahorias, lávelas y córtelas en rodajas. Pele el puerro, lávelo y píquelo muy fino.

- Caliente el aceite en una olla y luego haga sudar el puerro picado. Añada los dados de calabaza y las zanahorias. Salpimiente, cubra con agua y lleve a ebullición.

- Baje el fuego y deje cocer a fuego lento durante 20 minutos. Agregue las castañas (conserve algunas para la decoración) y prosiga la cocción otros quince minutos, hasta que las verduras estén muy tiernas.

- Pase por la batidora. Vierta la crema en cada plato y decore con las castañas reservadas.

Para preparar esta receta, también puede batir las verduras con 10 cl de nata líquida.

PARA 6 PERSONAS

Preparación: 10 min
Cocción: 45 min

2 kg de calabaza

1 l de leche

2 c de azúcar en polvo

3 ramitas de perejil

30 g de mantequilla

sal

Puré antillano de calabaza

- Pele la calabaza. Retire las pepitas y las hebras. Trocee la pulpa y cuézala durante 20 minutos en una cacerola grande con agua hirviendo con sal.

- Escurra la calabaza y tritúrela.

- Vierta la leche en una cacerola y lleve a ebullición. Agregue el puré de calabaza. Añada el azúcar y la sal. Baje el fuego y deje cocer a fuego medio durante 25 minutos.

- Lave el perejil y píquelo muy menudo. Vierta la sopa en una sopera. Espolvoree unas nueces de mantequilla y el perejil por encima.

- Sirva caliente.

Puede aromatizar esta sopa con unos dados de beicon salteados.

55

Preparación: 30 min
Refrigeración: 30 min
Congelación: mínimo 30 min
Cocción: 35 min

800 g de calabaza

2 cebollas

1 c de aceite de oliva

20 cl de leche desnatada

1 pizca de curry

sal y pimienta recién molida

PARA EL SORBETE

2 c de azúcar en polvo

500 g de queso fresco
con 20 % MG

6 hojas de albahaca

2 ramitas de perejil

6 ramitas de cebollino

sopa de calabaza con sorbete de finas hierbas

- Prepare el sorbete. Mezcle el azúcar en polvo y 3 cucharadas soperas de agua en una cacerola. Lleve a ebullición durante 2 o 3 minutos y luego deje enfriar el almíbar. A continuación, mézclelo con el queso fresco y consérvelo en la nevera. Lave las hierbas y séquelas con papel absorbente. Córtelas muy finas y resérvelas. Unos 30 minutos más tarde, saque el preparado de la nevera y vierta en una sorbetera. Cuando empiece a congelarse, añada las hierbas y deje reposar otros 15 minutos. Conserve el sorbete en el congelador.

- Prepare la sopa. Pele la calabaza, retire las pepitas y las hebras. Pele las cebollas y trocéelas junto con la pulpa de calabaza. Ponga el aceite en una olla, añada las verduras troceadas y rehogue durante 3 minutos. Vierta 40 cl de agua y la leche. A continuación, salpimiente y agregue el curry. Tape el recipiente y deje cocer unos 30 minutos a fuego lento. Después, pase la mezcla por la batidora.

- Saque el sorbete del congelador como mínimo 15 minutos antes de servir.

- Sirva la sopa tibia en platos hondos y decórelos con una isla de sorbete.

PARA 6 PERSONAS

Preparación: 15 min
Cocción: 30 min

Crema de tomate

1 kg de tomates maduros

2 cebollas

1 diente de ajo

30 g de mantequilla

4 c de fécula de maíz

1 cc de azúcar en polvo

10 cl de nata líquida espesa

3 ramitas de perifollo

pimiento de Ezpeleta

150 g de queso de cabra fresco

sal y pimienta recién molida

- Lave los tomates, córtelos en cuatro trozos y retire las semillas. Pele y pique las cebollas y el ajo. Derrita 15 g de mantequilla en una cacerola e introduzca las cebollas.

- Cueza las cebollas a fuego lento removiendo con frecuencia. Cuando estén transparentes, añada el ajo y los tomates junto con el resto de la mantequilla.

- Remueva mientras cocina a fuego lento durante 5 minutos y luego vierta 1,5 litros de agua. Deje cocer 20 minutos a pequeños borbotones.

- Cuele el contenido de la cacerola y, a continuación, vierta la sopa nuevamente en el mismo recipiente. Añada la fécula diluida en un poco de agua fría y 1 cucharadita de azúcar. Lleve a ebullición sin dejar de remover. Retírelo del fuego y agregue la nata líquida. Salpimiente y añada un poco de pimiento de Ezpeleta.

- Vierta la sopa muy caliente en una sopera. Espolvoree con unas miguitas de queso de cabra y unas hojas de perifollo.

- Sirva de inmediato.

Esta sopa también resulta deliciosa con requesón de oveja, en lugar de queso de cabra fresco.

sopa de tortillas de maíz

PARA 4 PERSONAS

Preparación: 10 min
Cocción: 10 min

4 tortillas de maíz ya preparadas

1 cebolla pequeña

1 diente de ajo

40 g de queso de cabra seco

2 tomates

2 ramitas de cilantro fresco

3 c de aceite

1 l de caldo de ave
(casero o preparado con una pastilla de caldo concentrado)

sal y pimienta recién molida

- Trocee las tortillas de maíz frías. Pele la cebolla y píquela. Pele el ajo y májelo. Ralle el queso de cabra con un rallador fino. Escalde los tomates, pélelos, retíreles las pepitas y tritúrelos. Lave el cilantro, escúrralo y córtelo muy fino.

- Fría los trozos de tortilla con 2 cucharadas soperas de aceite hasta que queden crujientes. Escúrralos sobre papel absorbente.

- Ponga el resto del aceite en una cazuela y rehogue el ajo, la cebolla y los tomates. Vierta el caldo en el recipiente y lleve a ebullición. Salpimiente y prolongue la cocción otros 10 minutos a fuego vivo. Remueva para que se mezclen bien todos los ingredientes.

- Vierta en una sopera. Espolvoree el queso y el cilantro cortado, y decore con las tortillas de maíz.

- Sirva de inmediato.

PARA 4 PERSONAS

Preparación: 25 min
Refrigeración: 2 h

Gazpacho

8 tomates

1 pimiento rojo

1 pimiento verde

150 g de pepino

1 cebolla

2 dientes de ajo

1 c de concentrado de tomate

1 c de alcaparras

1 ramita de tomillo fresco

2 c de vinagre

10 hojas de estragón

1 limón

3 c de aceite de oliva

- Ponga agua a hervir en una cacerola y escalde los tomates. Pélelos, retire las semillas y luego córtelos en dados. Haga lo mismo con los pimientos.

- Pele el pepino y córtelo en dados. Pele y pique la cebolla y el ajo.

- Coloque todas estas verduras en una ensaladera. A continuación, añada el concentrado de tomate, las alcaparras escurridas, las hojas de tomillo y el vinagre.

- Vierta 1 litro de agua fría en la ensaladera y pase la mezcla por la batidora o por el pasapurés fino.

- Corte el estragón muy fino y exprima el limón. Añada el estragón, el zumo de limón y el aceite de oliva a la ensaladera, y mezcle bien.

- Conserve el gazpacho en la nevera durante 2 horas, como mínimo, antes de servirlo en cuatro platos hondos.

PARA 4 PERSONAS

Preparación: 30 min
Cocción: 45 min

sopa de congrio

1 l de caldo de ave
(casero o preparado con una
pastilla de caldo concentrado)

1 apio

1 manojo de hierbas
aromáticas

1 trozo de congrio de 1 kg

3 cebollas

4 tomates

4 patatas

30 g de mantequilla

1 cc de vinagre de jerez

sal y pimienta recién molida

- Vierta el caldo en una olla. Añada el apio y el manojo de hierbas aromáticas. Salpimiente y caliente. Cuando empiece a hervir, agregue el congrio y deje cocer entre 25 y 30 minutos.

- Retire el pescado del caldo y reserve este último. Quite la piel y las espinas del congrio y reserve la carne.

- Pele las cebollas y píquelas muy menudas.

- Escalde los tomates, pélelos, retire las semillas y tritúrelos.

- Cueza las patatas durante 20 minutos en una cacerola con agua con sal. Retírelas antes de que estén completamente cocidas, pélelas y córtelas en rodajas.

- Derrita la mantequilla en una cazuela. Rehogue las cebollas durante 2 minutos. Añada los tomates y cocine 5 minutos.

- Cuele el caldo y viértalo en la cazuela. Salpimiente y deje cocer otros 5 minutos, cuando comience a hervir de nuevo.

- Añada las patatas, el pescado y el vinagre. Cueza 10 minutos más y sirva.

PARA 4 PERSONAS

Remojo: 30 min
Preparación: 25 min
Cocción: 20 min

4 setas secas muy aromáticas

300 g de lucio

1 trocito de jengibre fresco

3 tomates

1 l de caldo de ave
(casero o preparado con una
pastilla de caldo concentrado)

fécula de maíz

3 c de vino blanco seco

1 cc de aceite de sésamo

sal y pimienta recién molida

sopa de lucio

- Ponga las setas en remojo en agua tibia durante 30 minutos.

- Trocee el lucio. Póngalo en una cacerola con agua y cuando comience a hervir deje cocer 5 minutos a fuego lento.

- Escurra el lucio. Retire la piel y las espinas. Pase el pescado limpio por la batidora hasta obtener un puré.

- Pele el jengibre y rállelo. Escalde los tomates, pélelos y trocéelos. Escurra las setas, corte los pies y pique los sombrerillos.

- Ponga el caldo de ave en una cacerola y lleve a ebullición. Añada el puré de pescado, el jengibre, las setas y los tomates. Salpimiente. Mezcle y cueza otros 5 minutos más. Diluya la fécula de maíz en el vino blanco y vierta la mezcla en la cacerola.

- Baje el fuego y prosiga la cocción otros 3 minutos, sin dejar de remover, para que la sopa se espese un poco.

- Rocíe con aceite de sésamo, remueva y sirva en una sopera.

Bullabesa

2 kg de pescados variados
(morena, congrio, rubio,
pescadilla, rape, escorpina,
araña, etc.)

2 cebollas

3 dientes de ajo

2 puerros pequeños

3 o 4 tomates

1 baguette

1 rama de hinojo

1 hoja de laurel

1 trozo de cáscara de naranja

1 ramita de tomillo

2 pizcas de azafrán

0,5 kg de mejillones
(opcional)

10 cl de aceite de oliva

sal y pimienta recién molida

PARA LA SALSA

2 o 3 dientes de ajo

2 o 3 guindillas

2 tazas de miga de pan

1 patata cocida

1 pizca de hebras de azafrán

3 c de aceite de oliva

- Limpie el pescado y retire las espinas y las cabezas. Trocee la carne y deje los pescados más pequeños enteros. Ponga a hervir 3 litros de agua. Pele y pique las cebollas y el ajo. Pique los puerros. Pele los tomates y tritúrelos. Corte el pan en rebanadas de 1 cm de grosor y séquelo en el horno a 180 °C (termostato 6) sin dejar que se tueste.

- Ponga las cebollas, el ajo, los puerros, los tomates, el azafrán, las hierbas aromáticas, la sal y la pimienta en una olla grande. Añada los pescados de carne firme (congrio, morena, rape, escorpina y araña) y los mejillones. Vierta el aceite y remueva bien la olla varias veces para que todo se mezcle y el pescado se impregne por igual del aroma de las hierbas. A continuación, vierta el agua hirviendo y ponga la olla a fuego vivo. En cuanto hierva el aceite y el agua se mezclarán. Entonces baje el fuego.

- Al cabo de unos 5 o 6 minutos añada el pescado más tierno (pescadilla, gallo). Deje hervir 5 o 6 minutos. Rectifique la sazón (el sabor debe ser intenso).

- Prepare la salsa. Pele los dientes de ajo y májelos. Pique también las guindillas. Ponga ambos picadillos en un mortero, sale y maje bien la mezcla. Retire un poco de caldo caliente, sumerja en él la miga de pan y luego viértalo en el mortero junto con la patata chafada y el azafrán. Mezcle con cuidado hasta obtener una salsa espesa. A continuación, agregue el aceite de oliva.

- Ponga las rodajas de pan en la sopera y vierta la bullabesa por encima. Sirva junto con la salsa.

Sopa de rape con alioli

de 1,2 a 1,5 kg de cola de rape

1 puerro

2 cebollas

2 zanahorias

1 tomate

3 ramitas de perejil

6 dientes de ajo

40 cl de aceite de oliva

25 cl de vino blanco

1 yema de huevo

sal y pimienta recién molida

- Retire la piel del rape. Corte la carne en trozos grandes conservando la espina central. Pele y corte en rodajas el puerro y las zanahorias. Pele la cebolla y córtela en aros. Pele el tomate y trocéelo. Pique el perejil. Pele los dientes de ajo y maje 2.

- Ponga a rehogar en una cazuela a fuego lento el puerro, las cebollas, las zanahorias y el tomate con 2 cucharadas de aceite. Añada el perejil y el ajo picados. Mezcle bien, vierta 25 cl de agua y salpimiente. Tape el recipiente y deje cocer 15 minutos, removiendo con frecuencia. A continuación, agregue el vino.

- Caliente 2 cucharadas de aceite en una sartén. Sale los trozos de rape y cocínelos a fuego lento entre 3 y 4 minutos por cada lado. Escúrralos y reserve el agua que hayan soltado.

- Triture las verduras de la cazuela o páselas por un pasapurés. Ponga la cazuela de nuevo al fuego, y añada el pescado y luego el agua reservada. Deje cocer a fuego lento con la cazuela tapada entre 10 y 15 minutos.

- Prepare el alioli. En un mortero, maje el ajo restante con 1 pizca de sal. Añada la yema de huevo y mezcle durante unos 2 minutos. Deje reposar 5 minutos. Vierta el aceite poco a poco sin dejar de remover con una cuchara, siempre en el mismo sentido, como para preparar una mayonesa. Sazone con un poco de pimienta.

- Escurra los trozos de pescado, colóquelos en la bandeja de servir y consérvelos calientes. Rectifique la sazón de la salsa en la que se ha hecho el pescado y redúzcala un poco si fuera necesario. Retire del fuego y añádale el alioli mientras remueve enérgicamente. Cubra el pescado con esta salsa y sirva.

Crema de pescado

1 l de caldo de pescado
(casero o preparado a partir de
un producto deshidratado)

50 g de mantequilla

50 g de harina

500 g de filetes de bacalao
fresco
(o de otro pescado fresco
o congelado)

3 yemas de huevo

10 cl de nata líquida

perifollo

sal y pimienta recién molida

- Prepare el caldo de pescado.
- Derrita la mantequilla a fuego medio en una cacerola. Añada la harina y cueza unos instantes sin dejar de remover. Vierta el caldo de pescado poco a poco mientras va removiendo. Agregue los filetes de pescado y deje cocer a fuego lento entre 15 y 20 minutos.
- Tritúrelo todo o páselo por un pasapurés. A continuación, cuele la sopa con un colador fino. Lleve de nuevo a ebullición.
- Mezcle las yemas de huevo y la nata líquida en un bol. Retire la cacerola del fuego y vierta esta mezcla en la crema. Luego, ponga de nuevo la cacerola a fuego lento y remueva bien sin que la crema llegue a hervir.
- Rectifique la sazón. Espolvoree unas hojas de perifollo por encima antes de servir.

PARA 4 PERSONAS

Preparación: 15 min
Adobo: 1 h
Cocción: 1 h aprox.

400 g de salmón ahumado

1 c de aceite

1 zanahoria mediana

1 diente de ajo

1 tallo pequeño de apio

200 g de lentejas verdes

10 cl de nata líquida

4 hojas de apio

sal y pimienta recién molida

Crema de lentejas con salmón ahumado

- Corte el salmón en tiras de 1 cm de ancho. Úntelas con aceite con la ayuda de un pincel, salpimiente y deje marinar durante 1 hora en la nevera.

- Cepille bien la zanahoria bajo el agua y córtela en rodajas. Pele el ajo y deseche el germen. Lave el tallo de apio.

- Ponga las lentejas, la zanahoria, el ajo y el apio en una olla pequeña con 1 litro de agua, sal y pimienta. Lleve a ebullición y luego baje el fuego. Tape el recipiente y deje cocer a fuego lento alrededor de 1 hora, hasta que las lentejas estén tiernas.

- Reserve 4 cucharadas soperas de lentejas para la decoración. Triture el resto durante 2 o 3 minutos con el líquido de cocción hasta obtener un puré de consistencia suave. Añada la nata, rectifique la sazón y caliente de nuevo a fuego lento.

- Reparta las tiras de salmón en cuatro boles y vierta la crema de lentejas caliente por encima. Decore cada bol con unas cuantas lentejas y 1 hoja de apio. Sirva muy caliente.

Preparación: 20 min
Cocción: 20 min

3 calabacines pequeños
1 puerro
10 g de mantequilla
1 c de aceite
1 puñado de guisantes desgranados
1 pizca de curry (opcional)
1 cc de semillas de cilantro
1 pastilla de caldo de ave
16 gambas grandes
1 ramillete de cilantro fresco
sal y pimienta recién molida

sopa de gambas con calabacines y cilantro

- Retire los extremos de los calabacines. Trocéelos y luego córtelos en tiras muy finas. Pele el puerro y píquelo muy menudo.

- Caliente la mantequilla y el aceite en una cacerola y, luego, rehogue el puerro picado. Añada los calabacines, los guisantes, el curry y las semillas de cilantro trituradas. Deje cocer durante 5 minutos removiendo de vez en cuando.

- Disuelva la pastilla de caldo en, aproximadamente, 1 litro de agua hirviendo. Vierta en la cacerola, salpimiente y lleve a ebullición. A continuación, deje hervir a fuego lento durante 10 minutos.

- Mientras tanto, pele las gambas y retíreles el hilo negro intestinal. Introdúzcalas en la cacerola y deje cocer 2 minutos a fuego lento, hasta que estén calientes.

- Justo antes de servir, espolvoree el cilantro fresco cortado fino.

Si lo desea, puede sustituir los calabacines por pepinos.

100 g de fideos de arroz

1 cebolla

1 ramillete de cilantro

50 g de brotes de soja

200 g de gambas

1 c de aceite

80 cl de caldo de ave
(casero o preparado con una
pastilla de caldo concentrado)

2 c de nuoc-mâm

pimienta blanca

Sopa de verduras con gambas

- Mantenga los fideos de arroz en remojo en agua fría durante unos 15 minutos. Después, escúrralos y trocéelos.

- Pele la cebolla y píquela. Lave el cilantro y córtelo fino. Ponga los brotes de soja en un escurridor, lávelos con agua corriente y escúrralos.

- Pele las gambas y retíreles el hilo negro intestinal.

- Caliente el aceite en una cacerola y dore impregnen bien de la cebolla durante 2 minutos sin dejar de remover. Añada las gambas y remueva enérgicamente para que se impregnen bien de aceite.

- Vierta el caldo en la cacerola. Sazone con pimienta y lleve a ebullición. Tape el recipiente y deje cocer 10 minutos.

- Agregue los brotes de soja y los fideos. Añada el nuoc-mâm y deje cocer otros 2 minutos, removiendo de vez en cuando.

- Vierta la sopa en una sopera, espolvoree el cilantro y sirva.

PARA 4 PERSONAS

Preparación: 30 min
Cocción: 35 min

1 cebolla

1 zanahoria

2 ramas de apio

125 g de mantequilla

12 cigalas crudas

1 vasito de coñac

1 manojo de hierbas
aromáticas
(tomillo, laurel y perejil)

25 cl de vino blanco seco

1 l de caldo de pescado o de
caldo corto picante
(casero o preparado a partir
de un producto deshidratado)

1 c de concentrado de tomate

2 c rasas de fécula de maíz

15 cl de nata líquida

2 ramitas de perifollo

sal y cayena

Crema de cigalas al vino blanco

- Pele la cebolla y la zanahoria. Píquelas muy menudas. Retire las hojas del apio y corte los tallos en rodajas.

- Derrita 40 g de mantequilla en una cacerola. Rehogue las cigalas a fuego vivo durante 4 minutos. Reserve 4 cigalas enteras para la presentación final. Pele el resto y reserve la carne de las colas conservándolas enteras. Triture los caparazones con las cabezas y las pinzas.

- Coloque nuevamente las cigalas trituradas en la cacerola. Cueza a fuego vivo durante 3 minutos, sin dejar de remover. Caliente el coñac en una pequeña cacerola, flambee, y viértalo en la cazuela.

- Añada el apio y el manojo de hierbas aromáticas a la cacerola. Deje cocer a fuego lento durante 5 minutos, removiendo de vez en cuando. A continuación, vierta el vino, el caldo de pescado y el concentrado de tomate en la cacerola, y lleve a ebullición. Reduzca el fuego y deje cocer durante 20 minutos.

- Pase la sopa por el colador chino y presione los ingredientes con la parte posterior de un cucharón. Recoja todo el líquido y póngalo a calentar de nuevo agregándole la fécula de maíz diluida en nata líquida. A continuación, y sin dejar de batir, agregue el resto de la mantequilla troceada. Rectifique la sazón.

- Reparta la crema de cigalas en cuatro platos hondos calientes. Añada las colas de cigala peladas y el perifollo. Decore con una cigala entera y sirva.

Preparación: 25 min
Cocción: 20 min

sopa de cangrejo

1 limón

unas ramitas de cebollino

1 manojo de cilantro fresco

1 diente de ajo

1 chalota

1 c de aceite

1 c de fécula de arroz

80 cl de caldo de ave
(casero o preparado con una
pastilla de caldo concentrado)

200 g de carne de cangrejo

2 c de nuoc-mâm

1 buena pizca de pimienta
molida

1 huevo

- Exprima el limón. Lave las ramitas de cebollino, séquelas y córtelas muy finas. Haga lo mismo con el manojo de cilantro. Pele y pique muy menudo el ajo y la chalota.

- Caliente el aceite en una cazuela. Rehogue el ajo y la chalota durante 2 minutos. Remueva de vez en cuando.

- Diluya la fécula de arroz en un poco de agua fría. Viértala en la cazuela junto con el caldo de ave y el zumo de limón. Lleve a ebullición y remueva.

- Desmenuce la carne de cangrejo y añádala a la sopa. Agregue el nuoc-mâm sin dejar de remover y aderece con un poco de pimienta. Cueza durante 10 minutos y luego retire la cazuela del fuego.

- Bata el huevo con un tenedor y añádalo a la sopa sin dejar de remover. Vierta la sopa en una sopera, espolvoree el cebollino y el cilantro, y sirva.

PARA 4 PERSONAS

Preparación: 15 min
Cocción: unos 15 min

2,5 kg de zamburiñas

40 cl de caldo de pescado
(casero o preparado a partir de
un producto deshidratado)

2 limones

400 g de zanahorias

1 puerro

1 cabeza de apio-nabo
de unos 300 g

unos tallos de cebollino

20 cl de vino blanco seco

4 ramitas de tomillo limonero

1 tomate

10 cl de nata líquida

hojas de perifollo

sal y pimienta recién molida

Sopa de zamburiñas con tomillo limonero

- Pídale al pescadero que quite las conchas a las zamburiñas.

- Si no emplea un producto deshidratado, prepare primero un caldo corto de pescado y déjelo enfriar.

- Lave las zamburiñas con agua fría y séquelas con papel absorbente.

- Exprima uno de los limones. Pele y lave las zanahorias, el puerro y el apio-nabo. Córtelos en dados pequeños. Corte también en dados la pulpa del otro limón y reserve. Lave el cebollino y córtelo bien fino.

- Vierta el caldo de pescado y el vino blanco en una cacerola. Añada el tomillo limonero y el zumo del otro limón.

- Lleve la mezcla a ebullición y cueza en ella los dados de verdura durante 10 minutos.

- Caliente cuatro platos hondos en el horno a 60 °C (termostato 2).

- Lave el tomate y séquelo. A continuación, córtelo en tiras finas.

- Sumerja con cuidado las zamburiñas en el caldo de cocción de las verduras y añada la nata líquida. Cuando empiece a hervir, deje cocer durante 1 minuto (¡no más, ya que si las zamburiñas se cuecen demasiado quedan duras!). Pruebe y, si fuera necesario, rectifique la sazón.

- Retire del fuego y añada el cebollino cortado y los dados de limón. Vierta la sopa en cuatro platos calientes, decore con las hojas de perifollo y las tiras de tomate, y sirva de inmediato.

PARA 4 PERSONAS

Preparación: 30 min
Cocción: 30 min

800 g de anillas de calamar

2 chalotas

1 zanahoria

1 cebolla pequeña

2 c de aceite de oliva

250 g de pulpa de tomate
troceada
(en conserva)

1 c de concentrado de tomate

15 cl de vino blanco seco

2 dientes de ajo

1 manojo de hierbas
aromáticas

1 pizca de cayena en polvo

1/2 baguette

mantequilla

2 patatas medianas

sal y pimienta recién molida

Sopa de calamar con salsa de tomate

- Lave los calamares con agua fría y séquelos cuidadosamente con papel absorbente. Pele las chalotas, la zanahoria y la cebolla. Córtelas en daditos. Caliente el aceite en una cazuela pequeña, añada los dados de hortalizas y deje cocer a fuego lento unos 10 minutos, hasta que estén muy blandas.

- Suba el fuego, añada las anillas de calamar a la cazuela y cocine unos minutos, removiendo con frecuencia. A continuación, añada la pulpa y el concentrado de tomate, el vino blanco, un diente de ajo y el manojo de hierbas aromáticas. Salpimiente, añada una pizca de cayena y mezcle bien. En cuanto empiece a hervir, baje el fuego, tape el recipiente y deje cocer a fuego lento durante unos 20 minutos.

- Precaliente el horno a 150 °C (termostato 5).

- Corte la baguette en unas veinte rebanadas finas, úntelas con mantequilla e introdúzcalas 10 minutos en el horno sin que lleguen a tostarse. Pele el otro diente de ajo y frote todas las rodajas de pan. Ponga a calentar una sopera o un plato muy hondo.

- Pele las patatas, lávelas y córtelas en dados. Agréguelas a la cazuela y vierta 30 cl de agua. Deje hervir a fuego lento durante 10 minutos. Retire las hierbas aromáticas, pruebe y rectifique la sazón. Vierta en la sopera muy caliente.

- Sirva enseguida en cuatro platos hondos, acompañado de las rodajas de pan caliente con ajo.

Preparación: 20 min
Cocción: 25 min

sopa de mejillones

2 kg de mejillones

1 chalota

1/4 de diente de ajo

3 o 4 ramitas de estragón

1 l de vino blanco seco

4 c de nata líquida

2 yemas de huevo

1 c de curry fuerte

el zumo de 1 limón

100 g de mantequilla

sal y pimienta recién molida

- Raspe los mejillones, si es necesario, y lávelos bien con agua fría.
- Pele la chalota y píquela. Pele el ajo. Corte fino el estragón.
- Vierta el vino blanco en una cacerola grande. Añada el ajo, la chalota y el estragón, y condimente con un poco de pimienta. Deje cocer a fuego lento durante 10 minutos.
- Introduzca los mejillones en la cacerola. Tape el recipiente y deje que se abran a fuego vivo. Menee la cacerola con frecuencia y remueva los mejillones una o dos veces. Retire del fuego en cuanto los mejillones se abran. Sáquelos de la cacerola con una espumadera y resérvelos. Cuele el líquido de cocción de los mejillones y resérvelo en una cacerola.
- Saque los mejillones de sus valvas y consérvelos calientes en un recipiente sobre una cacerola de agua hirviendo.
- Vierta la nata líquida en un cuenco y añada las yemas de huevo, el curry y el zumo de limón. Mezcle y bata bien. Vierta la mitad del líquido de cocción de los mejillones en el cuenco y remueva hasta que el preparado adquiera una consistencia homogénea. Agregue esta mezcla al líquido de cocción de los mejillones.
- Ponga la cacerola de nuevo al fuego y deje que se produzca un pequeño hervor. Añada la mantequilla en pequeños trozos sin dejar de remover. Pruebe y rectifique la sazón.
- Reparta los mejillones en cuatro platos calientes y vierta la sopa por encima.
- Sirva de inmediato, si lo desea, acompañado de unos cuantos picatostes.

PARA 4 PERSONAS

Remojo: 30 min
Preparación: 40 min
Cocción: 15 min

6 setas secas

1,5 kg de mejillones

50 g de jengibre fresco

150 g de tofu

3 dientes de ajo

3 cebollas

1 l de caldo de verduras
(casero o preparado con una
pastilla de caldo concentrado)

4 c de aguardiente de arroz
(o de jerez)

1 pizca de glutamato
(condimento, muy utilizado en
la cocina de Extremo Oriente,
que sirve para reforzar el sabor
de los alimentos)

1 cc de fécula de maíz

unas gotas de aceite de sésamo

sal y pimienta recién molida

sopa de mejillones con tofu

- Ponga las setas en remojo durante 30 minutos.

- Raspe los mejillones y lávelos muy bien. Elimine los que estén ya abiertos.

- Pele el jengibre y córtelo en cuatro trozos. Ponga a hervir 1,5 litros de agua. Añada el jengibre y los mejillones. Deje escalfar 2 minutos. Escurra los mejillones y deseche los que permanezcan cerrados.

- Retire la valva vacía de cada mejillón y coloque las valvas llenas en el fondo de una sartén.

- Escurra las setas y córtelas en láminas. Corte el tofu en dados pequeños. Pele el ajo y las cebollas. Píquelos. Reserve la mitad de la cebolla y ponga el resto de estos ingredientes en la sartén.

- Cubra con el caldo y rocíe con el aguardiente de arroz. Salpimiente y añada el glutamato. Deje cocer a fuego lento durante 10 minutos.

- Diluya la fécula de maíz en un poco de agua fría. Viértala en el caldo y lleve a ebullición. Añada el aceite de sésamo y remueva.

- Vierta la sopa en una sopera, agregue el resto de la cebolla y sirva.

PARA 4 PERSONAS

Preparación: 30 min
Cocción: 15 min

sopa de ostras

24 ostras

30 cl de vino blanco

1 paquete pequeño de palitos
de pan

20 cl de nata líquida

100 g de mantequilla

1 pizca de cayena

sal y pimienta recién molida

- Abra las ostras sobre un recipiente para recoger toda su agua. Retire la concha y póngalas en una cazuela.

- Cuele el líquido de las ostras con un colador de tela y viértalo en la cazuela. Añada el vino blanco.

- Caliéntelo y retire del fuego al primer hervor. Retire con una espumadera la espuma de la superficie.

- Desmigue con las manos los palitos de pan y añada a la sopa el equivalente a 3 cucharadas soperas. Agregue la nata líquida.

- Corte la mantequilla en trocitos.

- Caliente la sopa y añada la mantequilla de una sola vez y remueva con una cuchara de madera. Salpimiente, sazone con la cayena y remueva otra vez.

- Sirva en una sopera.

PARA 4 PERSONAS

Preparación: 15 min
Cocción: 22 min

24 ostras grandes

1 cebolla

1 chalota

1 tallo de puerro

2 cebolletas

2 zanahorias

3 ramitas de perejil de hoja lisa

25 g de mantequilla

15 cl de vino blanco seco

50 cl de caldo de pescado
ligero
(casero o preparado a partir de
un producto deshidratado)

25 cl de nata líquida

sal y pimienta recién molida

Ostras escalfadas con zanahoria en juliana

- Abra las ostras, extraiga la carne y cuele cuidadosamente el jugo. Reserve la carne en una cacerola pequeña. Pele y pique muy menudas la cebolla, la chalota, el tallo de puerro y las cebolletas. Pele las zanahorias y córtelas en tiras muy finas. Pique las hojas de perejil.

- Derrita la mantequilla en una cacerola. Añada la cebolla, la chalota, el tallo de puerro y las cebolletas. Rehóguelo todo sin que llegue a dorarse. Salpimiente. Vierta el vino blanco y el jugo colado de las ostras.

- Lleve a ebullición para reducir un poco el líquido. A continuación, añada el caldo y deje cocer a fuego lento durante 15 minutos. Cuele la mezcla y resérvela en una cacerola. Añada la nata. Sazone con un poquito de sal y abundante pimienta.

- Agregue las tiras de zanahoria y cuézalas durante 5 minutos. Hierva las ostras a fuego lento durante 30 segundos en su jugo, que se reservó al abrirlas. Escúrralas y repártalas en cuatro platos hondos con la zanahoria cortada en juliana. Vierta el caldo caliente por encima y espolvoree el perejil cortado fino.

- Sirva de inmediato.

Para servir una cena de gala, sustituya el vino blanco por cava y espolvoree la sopa con unos trocitos de caviar o unas huevas de lumpo.

PARA 4 PERSONAS

Preparación: 25 min
Cocción: 25 min

sopa de almejas

2 kg de almejas

200 g de cebollas

1 manojo de perejil de hoja lisa

600 g de tomates

800 g de patatas

100 g de manteca de cerdo

2 ramitas de tomillo

sal y pimienta recién molida

- Abra las almejas encima de un recipiente y retírelas de su valva. Recupere el agua que suelten y pásela por el colador chino. Trocee la carne.

- Pele las cebollas y píquelas muy menudas. Lave el perejil y córtelo fino. Lave los tomates, séquelos y trocéelos. Pele las patatas, lávelas y córtelas en dados.

- Ponga la manteca de cerdo en una cacerola y rehogue a fuego lento las cebollas picadas, sin dejar que se doren.

- Añada el perejil, el tomillo, los trozos de tomate, los dados de patata, el agua de las almejas y su carne troceada. Salpimiente. Tape el recipiente y deje cocer con un pequeño borboteo durante 20 minutos.

- Mientras tanto, caliente cuatro platos hondos en el horno a 60 °C (termostato 2).

- Pruebe y rectifique la sazón. Vierta la sopa en los platos calientes y sirva de inmediato con unas galletas saladas ligeras y crujientes.

PARA 6 PERSONAS

Preparación: 25 min
Cocción: 25 min

500 g de paletilla de cordero

3 cebollas

1 manojo pequeño de menta

15 nueces peladas

15 cl de aceite

1 cc de cúrcuma

250 g de queso fresco batido

sal y pimienta recién molida

sopa india de cordero y cúrcuma

- Pique la carne. Pele las cebollas y píquelas. Salpimiente. Mézclelo todo bien y prepare unas albóndigas del tamaño de una nuez.

- Lave la menta y píquela. Pique las nueces.

- Ponga el aceite a calentar en una cazuela. Dore las albóndigas por todos los lados.

- Añada 1,5 litros de agua y la cúrcuma. Salpimiente y tape la cazuela. Cueza a fuego medio durante unos 20 minutos.

- Retire la cazuela del fuego. Agregue el queso fresco a la sopa. Mézclelo todo bien y rectifique la sazón.

- Vierta la sopa en una sopera. Antes de servir, espolvoree la menta y las nueces por encima.

PARA 8 PERSONAS

Remojo: 12 h
Preparación: 40 min
Cocción: 1 h

200 g de garbanzos

250 g de carne
(buey o cordero para hervir)

2 cebollas

1 pizca de azafrán

5 tomates

2 ramitas de apio

1 manojo de perejil de hoja lisa

1 manojo de cilantro

100 g de lentejas

40 g de arroz

1 c de concentrado de tomate

50 g de harina

sal y pimienta recién molida

Crema al estilo de Fez

- La víspera, ponga los garbanzos en remojo en agua fría.

- Al día siguiente, escúrralos. Corte la carne en dados. Pele las cebollas y píquelas.

- Ponga en una olla la carne, los garbanzos, las cebollas y el azafrán. Añada 2 litros de agua, 1 cucharadita de pimienta y 2 cucharaditas de sal. Tape el recipiente. Cueza a fuego medio unos 25 minutos.

- Lave las verduras y las hierbas. Escalde los tomates, pélelos y retire las semillas. Retire los hilos del apio y corte los tallos del perejil y el cilantro. Pique todos estos ingredientes y agréguelos a la olla.

- Añada las lentejas, el arroz y el concentrado de tomate. Deje cocer durante otros 30 minutos con la olla tapada.

- Unos minutos antes de finalizar la cocción, diluya la harina en un poco de agua. Viértala en la sopa sin dejar de remover para evitar que se formen grumos. Deje que termine la cocción, con la olla destapada, removiendo de vez en cuando.

- Vierta la crema en una sopera y sirva caliente.

PARA 4 O 6 PERSONAS

Preparación: 20 min
Cocción: 1 h 30

1 trozo de jengibre fresco

3 cebollas medianas

1 ramita de hierba limón

1/2 c de semillas de cilantro

1 cc de guindilla en polvo

400 g de carne de buey
para cocido
(morcillo, brazuelo)

2 c de nuoc-mâm

2 c de salsa de soja

50 g de fideos de arroz
o de soja

150 g de brotes de bambú
(1 lata pequeña)

unas hojas de cilantro fresco

sal y pimienta recién molida

Caldo de buey al estilo asiático

- Pele el trozo de jengibre y luego córtelo en láminas. Pele las cebollas y la hierba limón, y luego píquelas muy finas.

- Vierta alrededor de 1,5 litros de agua en una olla. Añada las cebollas picadas, la hierba limón, el jengibre y las semillas de cilantro machacadas. Salpimiente, añada la guindilla en polvo y luego lleve a ebullición.

- En cuanto empiece a hervir, agregue la carne a la cacerola. Cuando vuelva a hervir, espume, baje el fuego y deje cocer a fuego lento alrededor de 1 hora. (Si lo desea, también puede cocer la carne en una olla a presión durante unos 20 minutos.) Retire la carne, póngala en un plato, déjela enfriar y luego córtela en láminas.

- Vierta el nuoc-mâm y la salsa de soja en la olla y lleve de nuevo a ebullición. Añada los fideos y los brotes de bambú escurridos. Mézclelo todo bien y deje cocer a fuego lento durante 5 minutos. Introduzca de nuevo las láminas de carne en la olla, remueva y deje cocer otros 2 minutos más. Vierta el caldo en varios boles, espolvoree por encima el cilantro fresco cortado fino y sirva.

Si lo desea, puede sustituir los brotes de bambú por brotes de soja y añadir una zanahoria cortada en juliana.

PARA 6 PERSONAS

Preparación: 15 min
Cocción: de 6 a 12 min

1 cebolla

1 manojo pequeño de albahaca

1 ramita de menta

120 g de jamón serrano
en lonchas gruesas

1,75 l de caldo de carne
o de ave
(casero o preparado con una
pastilla de caldo concentrado)

2 c de aceite de oliva

150 g de espaguetis gruesos

pimienta recién molida

sopa al estilo siciliano

- Pele la cebolla y píquela muy menuda. Lave la albahaca y la menta, séquelas, retire los tallos y corte muy menudas las hojas. Corte el jamón en pequeños dados. Vierta el caldo en una olla y lleve a ebullición.

- Caliente el aceite de oliva en una sartén. Añada la cebolla y rehóguela a fuego lento durante unos 5 minutos, hasta que esté muy tierna. Agregue el jamón y cocine sin dejar de remover durante otros 2 minutos más.

- Vierta el contenido de la sartén en el caldo. Si la pasta es muy larga, pártala en trozos de 4 o 5 cm de longitud. Sumérjalos en el caldo y deje cocer entre 6 y 12 minutos, según las instrucciones que figuren en el paquete, hasta que estén al dente. En el último momento, añada la menta y la albahaca, y sazone con pimienta.

- Sirva de inmediato junto con un bol de queso parmesano rallado para aquel que desee espolvorear un poco por encima de la sopa.

750 g de hojas de rábano
o de nabo
o 750 g de espinacas
o de acedera

4 cebollas o cebolletas

2 dientes de ajo

1 manojo de perejil de hoja lisa

12 gombos (hortaliza tropical)

250 g de tocino ahumado

2 c de aceite

2 ramitas de tomillo

1 guindilla fresca pequeña

2 limas

sopa antillana a las hierbas

- Seleccione las hojas de rábano, retire los nervios y lávelas bien. Después trocéelas. Pele las cebollas y píquelas. Pele el ajo y májelo. Pique el perejil. Lave los gombos, retíreles los extremos y córtelos en rodajas. Corte el tocino en dados pequeños.

- Ponga a hervir 50 cl de agua en una cacerola. Caliente el aceite en una cazuela y rehogue las cebollas, el ajo, el tocino y el tomillo desmenuzado.

- Al cabo de 2 o 3 minutos, añada las hojas, los gombos, el perejil y la guindilla. Mezcle todo bien y cocine entre 5 y 10 minutos. Vierta el agua hirviendo, remueva, tape el recipiente y deje cocer a fuego lento durante 20 minutos, hasta que las verduras estén tiernas.

- Apague el fuego. Retire los dados de tocino y la guindilla, y resérvelos. Pase el contenido de la cazuela por un pasapurés. Agregue el tocino y la guindilla al puré obtenido, junto con un poco de agua si ha quedado demasiado espeso. A continuación, cueza a fuego muy lento unos 20 minutos, sin que llegue a hervir. Sazone con sal. Retire la guindilla. Si lo desea, añada el zumo de 1 o 2 limas.

- Sirva en platos hondos muy caliente.

PARA 4 PERSONAS

Preparación: 20 min
Cocción: 10 min

300 g de pechugas de pollo

1 trozo pequeño de jengibre
fresco

2 cebollas

1 diente de ajo

1 c de aceite

1/2 cc (o más) de guindilla
en polvo

1 pastilla de caldo de ave

20 cl de leche de coco

50 g de brotes de soja

1/2 lima

unas hojas de cilantro fresco

sal

Caldo de pollo con jengibre y leche de coco

- Corte las pechugas de pollo en tiras bastante gruesas. Pele el jengibre, las cebollas y el ajo, y píquelo todo muy menudo.

- Caliente el aceite en una cacerola y rehogue las cebollas y el jengibre mientras remueve. Añada las tiras de pollo, el ajo majado y la guindilla. Deje cocer a fuego vivo durante 3 minutos sin dejar de remover.

- Diluya la pastilla de caldo de ave en 80 cl de agua hirviendo. Vierta en la cacerola, añada la leche de coco, mezcle bien y luego lleve a ebullición.

- Baje el fuego y deje cocer durante 5 minutos.

- Lave y escurra los brotes de soja. A continuación, añádalos a la cacerola. Exprima la media lima y vierta el zumo en la cacerola. Sazone con sal, mezcle bien y deje cocer 1 o 2 minutos más.

- Decore con el cilantro fresco y sirva.

Añada unas setas secas rehidratadas en un cuenco de agua tibia.

PARA 4 PERSONAS

Remojo: 30 min
Preparación: 25 min
Cocción: 10 min

6 setas secas

100 g de tallarines de arroz

2 cebollas

1 diente de ajo

50 g de pechuga de pollo
cocida

1 trocito de jengibre fresco

80 cl de caldo de ave
(casero o preparado con una
pastilla de caldo concentrado)

1 c de aceite

sal

sopa de pollo con tallarines de arroz

- Ponga las setas en remojo en agua tibia durante 30 minutos. Escúrralas y retire los pies. Corte los sombreros en láminas.

- Ponga los tallarines en remojo en agua caliente durante 7 minutos. Escúrralos.

- Pele las cebollas y el ajo, y píquelos. Pique el pollo. Pele y ralle el jengibre.

- Ponga las setas en una cacerola junto con las dos terceras partes del jengibre y las cebollas. Cubra con el caldo. Lleve a ebullición y deje cocer 5 minutos.

- Caliente el aceite en una sartén. Rehogue el resto del jengibre y el ajo. Sazone con sal.

- Retire la sopa del fuego. Añada el jengibre y el ajo rehogados, así como los tallarines y el pollo desmenuzado. Deje reposar durante 5 minutos y caliente de nuevo. Sirva de inmediato.

300 g de pechugas de pollo
50 cl de leche
1 aguacate muy maduro
120 g de aceitunas verdes
perejil picado
sal

Crema de pollo al estilo californiano

- Corte las pechugas de pollo en dados pequeños.

- Ponga el pollo en una cacerola con 80 cl de agua, la leche y sal. Lleve a ebullición y, luego, deje hervir 20 minutos a fuego lento.

- Mientras tanto, corte el aguacate en dos, retire el hueso, extraiga la pulpa con una cuchara y córtela en daditos. Retire el hueso de las aceitunas verdes y córtelas en trozos pequeños.

- Añada el aguacate y las aceitunas a la cacerola. Deje hervir otros 5 minutos. Vierta la crema en una sopera.

- Espolvoree perejil picado por encima y sirva caliente.

La cocina californiana combina múltiples influencias. suele mezclar productos locales con productos exóticos y sabores europeos.

Abreviaturas y tabla de equivalencias

ABREVIATURAS			CAPACIDADES
s = segundo	l = litro	cc = cucharada de café	25 cl = 1 taza
min = minuto	mg = miligramo	°C = grado centígrado	50 cl = 2 tazas
h = hora	g = gramo	aprox = aproximadamente	75 cl = 3 tazas
ml = mililitro	kg = kilogramo	MG = materia grasa	1 l = 4 tazas
cl = centilitro	c = cucharada sopera		

EDICIÓN ORIGINAL

Dirección editorial: Colette Hanicotte
Coordinador editorial: Ewa Lochet
Dirección artística: Emmanuel Chaspoul, con la colaboración de Jacqueline Bloch, Martine Debrais y Cynthia Savage
Concepción gráfica: Jacqueline Bloch
Producción: Annie Botrel

Fotografías de las recetas: (© col. Larousse): Y. Bagros (estilismo L. du Tilly): pp. 17, 21, 45, 61; N. Bertherat (estilismo Coco Jobard con la colaboración de C. Mèche): pp. 33, 65; N. Bertherat (estilismo Coco Jobard con la ayuda de L. Schuster): pp. 41, 79, 83; J. Hall (estilismo G. Poidevin): pp. 5, 9, 13, 29, 69, 89, 93; D. Czap (estilismo M. Salaün): pp. 37, 49, 53, 57, 73, 77; G + S Photographie (estilismo I. Dreyfus): p. 25; N. Leser (estilismo U. Skadow): p. 85.
Fotografías de los productos: Olivier Ploton © col. Larousse.
Fotografías de la cubierta: arriba izq.: © Rynio/Stockfood/Studio X; arriba der.: © D. Loftus/Stockfood/Studio X; abajo izq.: © D. Loftus/Stockfood/Studio X; abajo der.: © J. Cazals/Stockfood/Studio X.

EDICIÓN ESPAÑOLA

Coordinación editorial: Jordi Induráin Pons
Edición: M. Àngels Casanovas Freixas
Traducción y adaptación: Vicky Santolaria Malo
Revisión y corrección: Paloma Blanco Aristín
Maquetación: dos més dos edicions, s.l.
Adaptación de cubierta: dos més dos edicions, s.l.

© 2010 LAROUSSE EDITORIAL, S.L.
Mallorca 45, 3.ª planta – 08029 Barcelona
Tel.: 93 241 35 05 – Fax: 93 241 35 07
larousse@larousse.es – www.larousse.es

ISBN: 978-84-8332-940-5